当当网终身五星级童书

★ ★ ★ ★ ★

我的北极大冒险

据［法］克利斯提昂·约里波瓦同名绘本动画片改编

郑迪蔚/编译

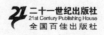

二十一世纪出版社
21st Century Publishing House
全国百佳出版社

下蛋，下蛋，总是下蛋！

生活中肯定有比下蛋更好玩的事情！

这次我们要到远方去探险……

仲夏时节，夜色中飞舞的萤火虫时隐时现，为今天晚上的故事会增添了一种神秘气氛。

　　卡门、卡梅利多和所有小鸡都瞪大了眼睛，聚集在公鸡爷爷周围。

　　"孩子们，很早很早以前，我们的祖先是有牙齿的，公鸡和母鸡不光有牙齿，而且体形巨大，老鼠看见了都要吓得发抖……"公鸡爷爷站在围墙上激动地说道，"我们是克鲁马努鸡的后代，曾经是世界的主宰！"

"到我这一辈，只传承下这唯一的一根羽毛，"公鸡爷爷停顿了一下，提高了嗓门宣布，"这是克鲁马努鸡的羽毛，从古老的冰川时代而来……传了一代又一代，这根神奇的羽毛可以治愈一切。"

小胖墩和大嗓门早就听腻了公鸡爷爷的故事。

"烦不烦哪，老是同一个故事，他真的老了。"

"走，咱们找点乐子去！"小胖墩和大嗓门趁大伙儿不注意悄悄溜到围墙的后面……

公鸡爷爷边说边得意地拿出事先藏在围墙后的宝贝盒子，可当他打开时："啊！糟糕！羽毛呢？祖宗留下的克鲁马努鸡的羽毛怎么不见了?！"

"爷爷，你确定是放在盒子里的吗？"卡梅利多问。

"克鲁马努鸡的羽毛除了用来挠痒痒，还有什么用呀！"

小胖墩和大嗓门的行为被皮迪克发现了，他生气地大声斥责："把羽毛还给爷爷！马上！"

小胖墩头一回见到皮迪克如此严厉，吓得停止了打闹。

"不是我，是大嗓门出的主意！"

他正想将羽毛还给爷爷，却一不小心让羽毛从手中滑了出去。

恰在此时一阵风吹来，羽毛乘着风飞向空中，好看极了。

强劲的风把小羽毛吹得越飞越高。

"啊！我的脖子扭了。"爷爷痛苦地歪着头，像个变形的雕塑僵在原地不能动弹。

"抓住啦！"卡梅利多兴奋地跳起来，差点够着了羽毛，"它要飞到树林里了，赶快抓住！"

"小心！"卡门提醒道。

"哦，不！"贝里奥眼巴巴地望着越飞越高的羽毛向黑暗的树林飘去，慢慢地消失在漆黑的夜色中。

"这下闯大祸了！"

"我们必须赶快从他们的视线中消失。"

"爷爷，你还好吗？"卡门担心地问道。

"我的脖子扭了，快，找到我的羽毛。"公鸡爷爷沮丧地说。

"它已经飞远了……"卡梅利多低着头不愿看到爷爷伤心的样子，"……不可能找到了。"

卡门想起爷爷曾经说过克鲁马努鸡来自北极，以为北极就在农场的不远处。

"我们去那个叫北极的地方再给爷爷找一根好不好？"

"这事简单，"鸬鹚佩罗边说边得意地掏出一个宝贝："这是指引方向的罗盘。只要朝着字母 N 的方向一直走就到了。有了它就不会找不着北了。"

天刚亮，淡淡的晨雾弥漫在鸡舍周围。

三个小伙伴雄赳赳地朝北方出发了。

皮迪克看着远行的孩子们回忆道："在他们这个年纪，你已经漂洋过海了，对吗？亲爱的！"

卡梅拉会心地笑道："这才像一家人嘛。我们都喜欢旅行。"

突然乌云密布，电闪雷鸣。顿时狂风大作，飞沙走石，落叶、枯枝都被卷到空中，树枝在狂风中大幅度地摇摆着，发出一阵阵可怕的断裂声，贝里奥还没来得及反应就被卷到了空中，像断了线的风筝，飘飘摇摇，上下翻飞。

卡门和卡梅利多没有拽住贝里奥，自己也被大风卷起来抛向空中，轰隆的雷鸣和咔嚓的闪电叫人心惊胆战。

穿过层层乌云……

没多久，风停了，雷声消失了，一切归于平静……

一片银白色的冰雪世界出现在眼前。

卡门从雪堆里爬出来，冻得打了个冷战。

"好冷啊！卡梅利多你在哪里？"

"我在这呢！"卡梅利多从旁边的雪堆里钻出来，"卡门，我们不会变成冻鸡蛋吧？"

"天哪！贝里奥到哪儿去了？"卡门紧张得四处张望，四周都是皑皑的陡峭冰峰，起伏的绵延雪岭，仿佛置身于一个梦幻般的仙境。

"我们是不是到北极了？"

"这里怎么会有船呀？"

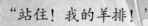

"站住！我的羊排！"

"我不要被烤！"

16

他们走着走着，忽然被眼前一艘巨大的船舰惊呆了。

救命啊！

"这可由不得你，"一个戴着牛角帽的红发男孩举着斧子对贝里奥狞笑，"你是天上掉下的新鲜羊肉，哈哈。"

锋利的斧子闪着阵阵寒光,贝里奥吓得快晕过去了,突然被卡梅利多一把拉开,躲过了砍下来的利斧。

斧子猛地剁进了冰山里。红发男孩气哼哼地去拔斧子:"好啊!又来了一只冻鸡!看我怎么收拾你们!"

"只有一只吗?你的数学学得不怎么样啊!"卡门不慌不忙地从后面走过来。

"见鬼去吧！你们要付出代价的！趁早乖乖把头伸过来吧！我要拔光你们的毛，吃了你们！"

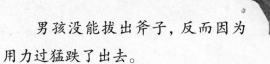

男孩没能拔出斧子，反而因为用力过猛跌了出去。

这时，冰山上出现了一条裂缝……

巨大的冰块从上面纷纷砸落下来。

小心！

20

"谢谢你，小鸡、小绵羊！没有你们，我就被压成肉饼了。"红发男孩站起来自我介绍："我叫雷夫·埃里克，红胡子埃里克之子，你们救了我的命！我永远不会忘记的。"

"找到朋友的感觉真好，我找不到我的龙头船，在冰川上已经流浪好几天了。"

"龙头船！"卡梅利多兴奋地喊道，"我们来之前刚好看到一艘！"

"真的吗？我太幸运了！"

"是啊！希望你也能分点运气给我们，我们在找一种羽毛……"卡门小声嘀咕着。

"快来呀！看，那是什么？"贝里奥惊呼道。

大伙儿朝贝里奥指的地方望去。

"见鬼！太可怕了！"雷夫简直不敢相信自己的眼睛。

刚才砸下来的其中一块冰块里有一只体形巨大的怪鸟，怪鸟张牙舞爪、龇牙咧嘴，表情十分恐怖。

"我的天哪！是克鲁马努鸡！"卡门和卡梅利多惊呼。

　　被冰封的克鲁马努鸡眼露凶光，张牙舞爪，似乎随时都会冲破坚冰朝小鸡们扑来……

雷夫并不知道克鲁马努鸡，他只想赶紧找到龙头船。

卡门灵机一动想到个好主意，便对雷夫说："我们带你去找龙头船，你能帮个小忙吗？我保证不会让你白费力气的。"

雷夫吃力地将封存着克鲁马努鸡的大冰块朝冰山顶部推去。

卡门坐在冰块上，好奇地问雷夫："你怎么会一个人在冰川上，你的家人呢？"

"我们维京人有个传统，要想在将来成为部落的首领，必须在年轻的时候经历独自航海的考验。"

"你要到哪儿去？"

"没有确切的目的地！但我一定能够发现新大陆！"

雷夫终于把大冰块推到了山顶。

"你看那是什么？"卡门笑着指向远方。

雷夫顺着卡门指的方向朝下望去，果然看见了自己的龙头船。

"我的龙头船！"雷夫兴奋地跳了起来。

"谢谢，朋友们，我要继续我的旅程了。"雷夫对刚认识的小伙伴们有点依依不舍。

"你知道吗？我妈妈说在海洋的另一边，有一个印第安人的国家，我爸爸就是从那儿来的。"卡门对他说。

"印第安人？是什么样的？"雷夫从没有听过，一时间有点摸不着头脑。

"没关系，旅程太长……这个罗盘送给你，这样就不会找不着北了。"卡门将罗盘交给雷夫。

"罗盘？怎么用？"雷夫好奇地摆弄着。

"顺着指针 N 的方向前进就行。它永远都指着北面。"卡梅利多解释说。

"谢谢你，卡门。"

你们要抓牢！千万别掉下去！

"我们要去南方！你能使劲推一下冰块吗？"卡门对雷夫请求道。

冲啊！

"我要让你们飞回南方去！在家乡，我可是大力士冠军呢！抓牢了，小绵羊！"雷夫铆足了劲儿把大冰块朝山下推去。

"一路顺风，小鸡们！"

冰块越过浓密的云层，贴着层层叠叠的山脉，伴着巨大的冲击力向鸡舍砸去……

大冰块被围墙的石头撞得粉碎。

卡梅利多、卡门和贝里奥也被甩了出去："哎哟！我的屁股！"

皮迪克和卡梅拉闻声从鸡舍里跑出来："没摔着吧，孩子们？克鲁马努鸡的羽毛找到了吗？"

卡门拍拍身上的土，兴奋地说："不是一根，是上千根。"边说边带着大家朝碎冰块走去。

从撞碎的大冰块里露出了卡鲁马努鸡的一半身子。

忽然它微微一动，吓得小鸡们停住了脚步，随着一声怪叫，克鲁马努鸡从大冰块里冲了出来！

克鲁马努鸡复活了。

它龇着牙，扇动着翅膀朝小鸡们扑了过来。

"啊——"小鸡们乱作一团，四处逃散。

"快！快！全体回屋！"
皮迪克镇定地指挥。

卡门和贝里奥来不及跑回鸡舍，就躲在鸬鹚佩罗的木
桶里。"呃……冷冻了那么久，还这么精神。"贝里奥不解
地说。

克鲁马努鸡飞到屋顶上，发出阵阵怪叫，疯狂地摇晃鸡舍。

嗷！

"我说什么来着，克鲁马努鸡有牙齿吧！"

公鸡爷爷刚想对大家讲故事，就因剧烈的晃动摔倒在地上。

卡门为了分散克鲁马努鸡的注意力，大喊："胆小鬼！我在这儿呢！"

克鲁马努鸡转而朝佩罗的木桶方向飞奔过来。过猛的俯冲力量，让它冲进木桶，和里面的鸬鹚佩罗扭成一团。

鸬鹚佩罗趁克鲁马努鸡还没站起来，马上先礼貌地自我介绍："女士，我是鸬鹚佩罗！无论发生什么，我决不会乘人之危。"

克鲁马努鸡似乎听懂了，立刻平静了下来。

鸬鹚佩罗接着说："不管怎样，我必须对你说，你看起来年轻极了。"

克鲁马努鸡开心地发出咕咕的叫声。

"佩罗，我猜你交到新女朋友了。"

鸬鹚佩罗搂着克鲁马努鸡认真地说："先要学会砸开坚冰！"

卡门看到地上掉了一根克鲁马努鸡的羽毛："啊！羽毛！这下爷爷的脖子有救了。"

卡门转身对小胖墩和大嗓门说："你们俩要为爷爷做点什么！"

于是，大嗓门拿着羽毛为爷爷治病。

公鸡爷爷痒得浑身一抖，"咔！"脖子复位了。

　　"好啦，谢谢你们，我再也不用歪着脖子说话了。大家都到外面去，我要给你们讲一个我祖父的祖父的祖父的故事！"

　　"除了你们俩！"公鸡爷爷转身指着小胖墩和大嗓门，"我的故事对你们来说不是很无聊吗？那就赶快去打扫卫生。记住！要学会尊重长辈。"

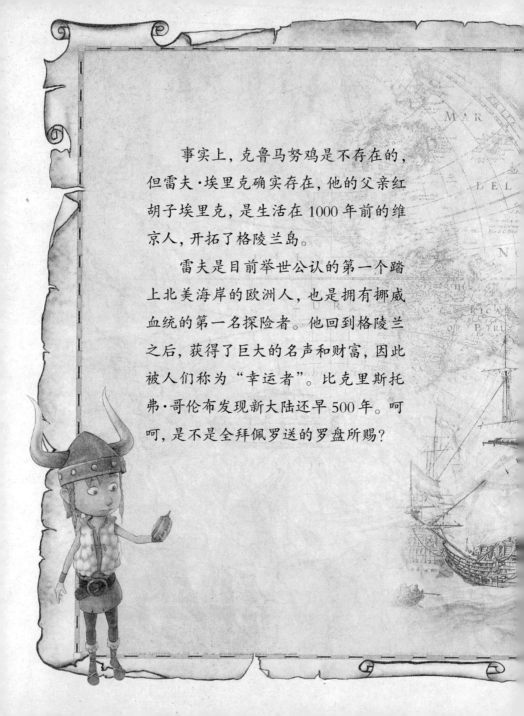

事实上，克鲁马努鸡是不存在的，但雷夫·埃里克确实存在，他的父亲红胡子埃里克，是生活在1000年前的维京人，开拓了格陵兰岛。

雷夫是目前举世公认的第一个踏上北美海岸的欧洲人，也是拥有挪威血统的第一名探险者。他回到格陵兰之后，获得了巨大的名声和财富，因此被人们称为"幸运者"。比克里斯托弗·哥伦布发现新大陆还早500年。呵呵，是不是全拜佩罗送的罗盘所赐？

不一样的卡梅拉动画版 DVD
《小鸡来了》

精彩集集有，看小鸡们如何穿越历史，如何打败坏蛋老鼠，如何帮名人们解决问题……继超级畅销书《不一样的卡梅拉》系列之后，又一重磅 3D 动画《小鸡来了》震撼登场！

《不一样的卡梅拉》动画版 DVD 共 32 集

不一样的卡梅拉动漫绘本

据［法］克利斯提昂·约里波瓦同名绘本动画片改编

全套 30 册

　　卡门和卡梅利多是两只不同寻常的小鸡，他们坚定地认为，"生活中肯定有比睡觉更好玩的事！"抱着这样的信念，他们不想和大家一样整天待在鸡窝里，他们要离开鸡舍出去探险！莫扎特、小红帽、马可波罗、堂吉诃德、达·芬奇、富兰克林这些历史上的名人都会出现在小鸡们的生活里……

穿越历史　解读经典　话语幽默

D'après la collection de livres de Ch. Heinrich et Ch. Jolibois © Pocket Jeunesse

D'après la série animée réalisée par JL Francois – bible littéraire M. Locatelli & P. Regnard © Blue Spirit Animation / Be Films

Titre de l'épisode « La plume de Coq Magnon » écrit par M. Locatelli / P. Regnard

Les P'tites Poules © Blue Spirit Animation

Chinese simplified translation rights arranged with Chengdu ZhongRen Culture Communication Co.,Ltd,

本书中文版权通过成都中仁天地文化传播有限公司帮助获得

据 [法] 克利斯提昂·约里波瓦同名绘本动画片改编

图书在版编目（CIP）数据

我的北极大冒险 / (法) 约里波瓦文；
(法) 艾利施绘；郑迪蔚编译.
-- 南昌：二十一世纪出版社，2012.11
（不一样的卡梅拉漫绘本；1）
ISBN 978-7-5391-8236-0

Ⅰ.①我… Ⅱ.①约… ②艾… ③郑……
Ⅲ.①动画－连环画－作品－法国－现代
Ⅳ.①J238.7

中国版本图书馆CIP数据核字(2012)第266455号

版权合同登记号 14－2012－443
赣版权登字－04－2012－761

我的北极大冒险　　　　郑迪蔚 / 编译

策　划	张秋林
美术统筹	郑迪蔚
责任编辑	黄 震　陈静瑶
制　作	敖 翔　黄 瑾
出版发行	二十一世纪出版社
	www.21cccc.com　cc21@163.net
出版人	张秋林
印　刷	北京尚唐印刷包装有限公司
版　次	2012年12月第1版　2012年12月第1次印刷
开　本	800mm×1250mm 1/32
印　张	1.5　印 数　1-60200册
书　号	ISBN 978-7-5391-8236-0
定　价	10.00元

本社地址：江西省南昌市子安路75号　330009（如发现印装质量问题，请寄本社图书发行公司调换 0791-86512056）

下蛋，下蛋，总是下蛋！
生活中肯定有比下蛋更好玩的事情！
我得到了一盏神灯……

早春，空气中还带着一丝寒意，但卡梅利多和小伙伴们
已经迫不及待地拿起鱼竿跑到河边。

"春天到，鱼上钩。现在是最理想的钓鱼时间。"

"嘘，都别出声，我一定能钓到大鱼！"

★ ★ ★ ★ ★

我许下三个愿望

据［法］克利斯提昂·约里波瓦同名绘本动画片改编

郑迪蔚 / 编译

21 二十一世纪出版社集团
21st Century Publishing Group

"瞧他们的严肃劲儿，没准儿会钓上来一把水草，哈哈哈！"小胖墩站在石桥上说风凉话。

"费那么大劲，顶多钓上条蝌蚪那么大的鱼，能填饱肚子吗？"大嗓门跟着坏笑。

"天哪！上钩了！"卡梅利多感到浮子一沉，赶紧使劲往上拉，"还挺沉呢……"

"这是什么？好奇怪的一把壶。"卡梅利多垂头丧气地一屁股坐回草地上。

"就卡梅利多能把垃圾钓上来当晚餐！"小胖墩幸灾乐祸。

突然，被卡梅利多扔在一边的壶，从壶嘴里冒出了浓浓的紫烟……

"救命，快逃啊！"大嗓门叫喊着往后退。

7

8

小鸡们吃惊地望着从壶嘴里飞出来的精灵……

"我是神灯精灵！很高兴为您服务，我的主人卡梅利多！"

我?

"我的主人，您可以提出三个愿望，我将会为您实现！"

卡梅利多简直不敢相信："我吗？我的三个愿望吗？只属于我的吗？"

"那当然，我的主人。"

"并不是每只小鸡都能钓上精灵！"卡门冲着卡梅利多挤挤眼，"赶快想想你的第一个愿望是什么，什么事让你最开心。"

"哇！我不是在做梦吧？我要……"

"要来一次旅行？或者再也不用整理床？像鸟一样飞？对了，成为足球冠军……其实我也不知道到底要什么……"

卡梅利多完全糊涂了，"你说呢，贝里奥？"

"我的愿望很简单，就是美美地吃上一顿奇普奶酪！"

"可恶，这家伙居然有仆人啦！"

"别急，等会儿我们把精灵偷走，让他看看谁才是这里真正的公鸡！"

"哦，选择一个愿望真难……"
卡梅利多紧张地抚摸着神灯。

"你这只小鸡真有意思，每个人都有数不清的愿望想实现。"神灯精灵大笑，"不和你们耽误时间了，一会儿见，我的主人！"

自由啦!

　　藏在灌木丛中的田鼠普老大突然发现鸡舍里来了新客人，"瞧，一只会飞的公鸡?! 谁也别动，他是我的!"

　　"你能给我留一对翅膀吗，头儿? 或者爪子……鸡屁股也行!"田鼠克拉拉请求道。

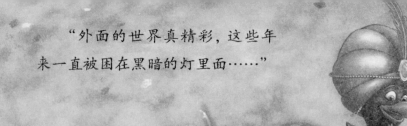

"外面的世界真精彩，这些年来一直被困在黑暗的灯里面……"

"我要你把这个可恶的家伙变成一只鸡！"卡梅利多举起神灯喊道。

14

"现在我要享受阳光、空气、大自然……"

就在神灯精灵尽情地在空中飞舞时，突然听到后面有人喊它。

"得令！"神灯精灵冲着田鼠普老大念起了咒语。

"法拉塔苏沙尼塔！"

"快看，普老大真的变成一只母鸡了！"
卡门兴奋地欢呼。

"可恶的坏蛋，对这身羽毛还满意吗？"

啊！

吱！

17

"我的脸！我的嘴！我的声音！出什么事了？"

"我的手！我……变成鸡了？"

"你看起来很美味，头儿！好大的一只肥鸡
啊！"田鼠细尾巴一步一步逼近普老大……

"哇，真神奇！"

"那还用说，我法力无边，想变什么就变什么！别说把田鼠变成大母鸡，连大象也可以变成蚂蚁！"

哇！

"你的大腿看上去丰满又结实，很有嚼劲！"

克拉拉伸长了鼻子在普老大身上乱闻。

"不，不能吃我的大腿！"

普老大预感到事情不妙，撒腿就跑，"你们两个忘恩负义的家伙，看我以后怎么收拾你们！"

"我为鸡舍许个愿望，好不好？"

"不错，但你怎么保证这个愿望让所有人都满意？"

卡门提醒哥哥，"还是为自己许个愿简单些。"

三个小伙伴在讨论
的时候，完全没有注意到
小胖墩悄悄地从鸡舍里偷走
了神灯。

"趁卡梅利多没开口之
前，我要对神灯精灵许愿——
成为未来鸡舍里的头领！"

"胜利是属于我的！"小胖墩
得意地举起神灯。

"还不一定是谁呢！"大嗓门一把抢过神灯，"它是
我的！我才是未来的大公鸡头领！"

我的！

"啊！那不是我的神灯吗？"

三个小伙伴这才发现神灯被抢走了。

大嗓门抱着神灯撒腿就跑。

小胖墩不甘示弱，从后面扑了过来："还给我！它是我的！"

"小胖子，敢骑在我头上！"

大嗓门被小胖墩扑倒，神灯也飞了出去。

卡门从地上捡起神灯："住手，它是卡梅利多的！"

"哼！有什么了不起。"小胖墩扭头看着卡梅利多的
神气样子越想越生气，"你敢和我打一架吗？"

小胖墩不等卡梅利多回答，转身就将他扑倒："服不服？自以为是的家伙，别当自己是鸡舍未来的头领了，你不过是个小屁孩，就算有神灯也没用！"

　　卡门上来劝架，不小心再次把神灯掉在草地上。

　　"哈哈！你们这里真热闹！我最喜欢看打架了。"神灯精灵对卡梅利多挤挤眼，"让我猜猜你们谁赢。"

"把它还给我！"

"不还！谁捡到就是谁的！"

小胖墩使劲拽着壶嘴不松手。

"松手！你这个……这个,烂土豆！"

法拉塔苏沙尼塔!

卡梅利多的话音刚落,
神灯精灵就念起咒语……

"天哪！我变成土豆了！"
小胖墩惊奇地发现自己的
四肢不能动弹了。

"但是……这不是我的愿望！"
卡梅利多莫名其妙地看着神灯。

"你的愿望就是命令，我的主人！生
活真美好，好久没像现在这么开心了！"

"很好笑是吗！我现在变成土豆了，你满意了吧！"

27

田鼠普老大东躲西藏都逃不过同
伴的追杀，最后只能跑进鸡舍……

救命！

田鼠普老大一见到皮迪克，就跪
地磕头。

"求求你，救救我，让我躲一下！
他们俩要剥了我的皮，把我烤了吃！

28

"我们决不会抛弃任何一只鸡，即使他是……"

皮迪克顿了顿，仔细看了看普老大现在的样子，"是一只……一只田鼠鸡！"

"谢谢您！您是我的大救星，公鸡先生。"普老大感激涕零。

"我太喜欢你的愿望了，卡梅利多，真好玩！"

"卡梅利多，你还剩下几个愿望？"

"只剩下一个了，爸爸。"

一个……

"到底发生什么事了？"佩罗迷迷糊糊地刚睡醒午觉，从木桶里出来，发现面前站着一个大土豆。

"佩罗，卡梅利多把我变成土豆了，我不要被搅成土豆泥，怎么办呀？"

普老大在得到皮迪克的允许后，大摇大摆地走进鸡舍。

"你们好，女士们！"

大家各自聊天，没有注意到这只新来的肥"母鸡"。

普老大顺手拿起两个大鸡蛋，不禁流出口水。

"当只鸡也不错嘛！轻而易举就能拿到鸡蛋……"

"你在干什么?! 放下我的鸡蛋!"

卡梅拉愤怒地冲过来。

普老大一个劲地往后退,支支吾
吾地回答:

"我……我要孵鸡蛋! 我
想做一个好母亲……"

卡梅拉马上对眼前这只奇
怪的母鸡有了好感。"你的意思
是要帮我们孵鸡蛋,对吗? 哦,
你太可爱了!"

"瞧好了，看我是怎么孵鸡蛋的！"卡梅拉轻轻地坐在草垫上，"来吧，现在换你了！"

"哦，好的。"

田鼠普老大嘴上答应着，心里却琢磨着寻找机会将鸡蛋偷走。

"我还有一个许愿的机会……"卡梅利多闷闷不乐地拿着神灯在草地上徘徊。

"要不召唤精灵过来问问？"卡门建议。

"那个精灵，我看只能带来麻烦！"贝里奥阻止道。

"嗨，你们在玩什么？"神灯精灵突然从背后蹿出来大喊。

啊叮！

"我还有第三个愿望，你没忘吧，神灯精灵……"

"哦，忘了……我一向数学不好！"

"我们已经决定了，让一切都恢复原样！"

"真没劲，卡梅利多！我们玩得多开心，你许的愿望实在太绝了！"

"你以后可以一直和我们玩。现在先实现最后一个愿望，求求你了，就算帮帮我哥哥！"

"那好吧，谁让你是卡梅利多的妹妹呢。"

"但我有一个条件，我已经很久很久没
吃过东西了，我一直梦想着吃顿大餐！"

"没问题！实现完最后一个愿望，我就请你吃大餐！"
"成交，卡门！"

成交！

突然，大嗓门吃惊地发现小胖墩身上笼罩着一层紫雾。

"他是在变魔术吗？"

"啊！是我吗！我又变回来啦！！"小胖墩兴奋地
动动脚趾，扭扭屁股，甩甩鸡冠，从没感觉如此良好。

普老大边孵鸡蛋边盘算着怎么偷走，突然他身上被一层紫雾笼罩着。

田鼠普老大现了原形，但他还不知道。

"我是母鸡不是吗？就是说……这些鸡蛋是我的！"

"什么！你说是你的鸡蛋？"卡梅拉愤怒地回击。

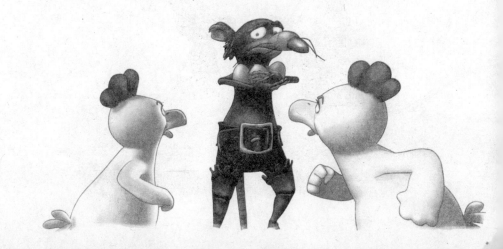

"这是我们的鸡蛋，滚出去！"

哎哟！

守在围墙外的田鼠细尾巴远远地看见一个东西从鸡舍中飞出来："如果是母鸡普老大，我们照样可以把他吃了！"

"我觉得这个主意不错。"克拉拉坏笑道。

"是你吗，头儿？"田鼠克拉拉走到摔晕的普老大身边。

"我更喜欢他变成母鸡的时候，
现在丰满又结实的鸡腿不见了！"

"唉！他怎么又变回来了。"
田鼠细尾巴有些后悔之前的举
动，"别提鸡腿了，咱们能保住
自己的腿就不错了。"

夜幕渐渐降临，为答谢神灯精灵，卡门如约做了一顿丰盛的晚餐："今晚的菜单有烤大虾串，融入香草调料的蒜蓉牛油炒青虫，还有甜点——蒲公英慕斯！你的愿望实现了，祝你好胃口！"

"这都是为我准备的吗？我都流口水了！"神灯精灵张大了嘴巴，"我得有几百年没吃东西了。"

皮迪克在一旁微笑道："总算是一个没有带来麻烦的愿望！"

"如果让我重新许愿的话，我希望能飞起来！"卡梅利多还在反思今天发生的事情。

"你用最后一个愿望来修正前一次的失误，这个决定非常正确！我在你这个年纪的时候也想飞起来……"皮迪克满意地看着儿子。

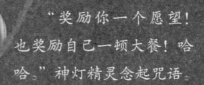

"奖励你一个愿望！也奖励自己一顿大餐！哈哈。"神灯精灵念起咒语。

就在众人为卡梅利多欢呼的时候，神灯的盖子自动打开了，冒出一束光……

"哦不！我还没吃完呢！"神灯精灵不由自动地被卷进了神灯里。

"啊！"卡梅利多也从空中掉了下来。

神灯恢复了原来的样子，像什么都没发生过

"哎哟！我的飞翔梦就这么结束了？
应该许个愿再着陆……"

哈哈！

你们知道神灯是从哪儿来的吗？这是《一千零一夜》里的故事——《阿拉丁和神灯》，就像卡梅利多一样，阿拉丁也被允许有三个愿望。

贫穷的阿拉丁在一名巫师的引导下前往一个设有陷阱的洞穴，得到了一盏神灯，神灯可以召唤精灵帮助他实现愿望。靠着这盏无所不能的神灯，阿拉丁拥有了财富和权势，娶了心爱的公主巴德罗巴朵尔为妻。

精灵甚至还为阿拉丁建造一座美轮美奂的宫殿。巫师知道了这一切，十分嫉恨阿拉丁，用诡计骗取了神灯，掳获了公主。阿拉丁千方百计拿回了神灯，杀死了巫师，重新回到了家乡，在神灯的帮助下过上了幸福的生活。

如果以后你找到一盏神灯，里面冒出一个精灵……千万要选择好你的愿望！

《一千零一夜》阿拉伯文学名著

D'après la collection de livres de Ch. Heinrich et Ch. Jolibois © Pocket Jeunesse. D'après la série animée réalisée par JL François – bible littéraire M. Locatelli & P. Regnard © Blue Spirit Animation / Be Films Titre de l'épisode « Vœux de génie » écrit par J. Frey / C. Jolibois Les P'tites Poules © Blue Spirit Animation

Chinese simplified translation rights arranged with Chengdu ZhongRen Culture Communication Co.,Ltd,
本书中文版权通过成都中仁天地文化传播有限公司帮助获得

据 [法] 克利斯提昂·约里波瓦同名绘本动画片改编

图书在版编目（CIP）数据

我许下三个愿望 / (法) 约里波瓦文；
(法) 艾利施图；郑迪蔚编译.
-- 南昌：二十一世纪出版社集团,2015.12
（不一样的卡梅拉动漫绘本；24）
ISBN 978-7-5568-1498-5

Ⅰ.①我… Ⅱ.①约… ②艾… ③郑…
Ⅲ.①动画—连环画—法国—现代
Ⅳ.①J238.7

中国版本图书馆CIP数据核字(2015)第296659号

版权合同登记号 14-2012-443
赣版权登字—04—2015—935

我许下三个愿望 郑迪蔚 / 编译

总 策 划	张秋林
策　　划	奥苗文化　郑迪蔚
责任编辑	黄 震　陈静瑶
制　　作	敖 翔
出版发行	二十一世纪出版社集团 | 商悦熊
	www.21cccc.com　cc21@163.net
出 版 人	张秋林
印　　刷	江西华奥印务有限责任公司
版　　次	2016年1月第1版　2016年1月第1次印刷
开　　本	800mm×1250mm 1/32　印 张 1.5
书　　号	ISBN 978-7-5568-1498-5
定　　价	10.00元

本社地址：江西省南昌市子安路75号　330009（如发现印装质量问题，请寄本社图书发行公司调换 0791-86512056）